Learn To Play On
HARMONIUM

RAM AVTAR 'VIR'
Music Professor

PANKAJ PUBLICATIONS
NEW DELHI

LEARN TO PLAY ON HARMONIUM

© Pankaj Publications

First Pubished : 1983
Revised Edition : 1998
Next Revised Edition : 2004

ISBN: 81-87155-22-1

Author :
RAM AVTAR 'VIR'

Published by:
Pankaj Publication
M-114, Vikas Puri, New Delhi-110018
Email : contact@pankajbooks.com
W www.pankajbooks.com

For Bulk Purchases and Business Inquires, Contant
Sales@pankajbooks.com

Cover Design by :
Miniature Arts.

Typesetting by:
Aakriti Printographics • Ph.: 25523006

Printed in India by:
Inside Photographes © Pankaj Publications : APS Photographers

Preface

Harmonium is the foreign musical instrument. When the Europeans took over the regin of India in their hands, they brought several instruments like Piano, Organ, Violin and Harmonium etc. with them. The Harmonium is such an instrument that needs no tuning like other stringed instruments. Besides, the setting of keys of this instruments is so simple that one can fix every key according to the pitch of voice and play it easily. so, in a very short period the Harmonium became so popular in India that its sound was heard in every corner of the country from poor cottage to the royal palace. In historical music, too, it was played with Sarangi instrument in theatres.

Now-a-days, this instrument is played & used in every musical performance on Radio and Television, in recording companies and film industries.

Today people are very fond of playing film songs. In this book, I have tried to explain the basic principles of Playing tunes on Harmonium in an easy way. If a student of music tries to study and play according to the directions, he will not find any difficulty to play film songs' tunes. I have illustrated the sitting positions, handling of Harmonium, using fingers on keys and handling of bellows according to the tune of Songs.

I hope this book will prove a great help to the music lovers of every stage.

Ram Avtar Vir
Sangeet Acharya

Acknowledgement

I want to acknowledge and give my thanks to all the people who helped me as critics, and whose suggestion made me write this book. This is the subject dominated by the *"Guru-Shishya"* system of teaching. But my fellow musicians and friends from *'Gandharva Sangeet Vidyalay'* and *'Sangeet Natak Academy'*, made this possible for me to write the book which can teach or atleast create interest of the reader about learning an Indian Musical Instrument. I want to thank my publisher Mr. Inder Mani Bajaj, who encouraged me for writing and helped me through out finishing and processing the book in print form.

I really want to acknowledge Mr. Avtaar Singh of *'Bina Musical Stores'* for helping us with providing the instruments and their technical details.

Note to the revised addition: This addition of "Learn to Play on Harmonium" is revised in year 2004 with the help of ace musicians and Harmonium teachers. The revision is done on the basis of regular feed back from our readers and the musicians all over the world. We hope this revised addition solve the purpose of the book and get the same appreciation and response as the other books of PANKAJ PUBLICATIONS gets.

Happy learning— publisher

CONTENTS

Part-IV
EXERCISES

Part - I

Introduction

Jaise Bina ki taan, Jaise rangoo ki jaan,
Jaise solaha singar, jaise ras ki poohar,
Jaise khoosbo liya aye thandi hava O

Ek ladki ko dekha to eisa laga,
Jaise nachta moor, jaise resham ki door,
Jaise paryoon ka raag, Jaise sandal ki aag,
Jaise bal khaye Bel, Jaise lahroon ka khal,
Jaise ahista ahista bhadta nasha O

Film: **1942 A LOVE STORY** Tal: **KHERWA**

EK LADKI KO DEKHA

S	—	—	SS	N S	R	N S	R	
O	—	—	EK	Lad	Ki	Ko De	Kha	
N S	RS	S	—	O	O	O	SS	
To E	S L	Ga	—				EK	
N S	R	N	R	N S	RS	S	SS	
Lad	Ki	ko De	Kha	To	Esa	L	ga	
N	DPN	D	NS	N	DPN	D	DD	
Jaise	Khilta	Gu lab	Jaise	Ban	Me hir	an	Jaise	2
M	D P	P	DD	M	D P	P	PP	
Ujli	li kar	an	jaise	Ban	Me Hir	an	jaise	2
PN	S G	R	RR	PN	S G	R		
Man	dir	Me	Ho	EK	Jalta	Diya		
S	—	—	SS	N S	R	N S	R	
O			EK	Lad	Ki	Ko de	Kha	
N SR	G RSN	S	—					
to Ey	sa la	ga	—					

Introduction

Harmonium as the name suggests, an instrument of harmony sounds. Harmonium is the miniature form of Piano with some differences. As we all know very well, this is not a native Indian instrument. It is originated in Europe & brought to India, sometime in late 18th century through British missionaries for accompaniment in their religious singings. The early Harmonium has pedals for foot pumping of bellows. But Indian musicians are more comfortable playing, while sitting on ground. So according to their needs, the Harmonium took Indianised shape, such as its pedals disappeared and hand pumped bellows are attached to it.

This was the start of Indian version of Harmonium. The Indian Harmonium goes with the Indian music system very easily, that there are no chords in Indian music, so there was no requirement for using both hands on keys. Hence, one hand kept free for bellows. The other benefit of playing Harmonium was, it has 42 different keys, three set of octaves of both white & black keys. On which, any white key or black key of middle octave is considered as the first note of *Sargam* and can played the complete composition.

Usually the Harmonium is learnt the way its western parents are, such as Piano. But the benefit of playing Indian music on Harmonium is that, when taking black key as 1st note **Sa** of the *Shuddha Swaras, Tivra Swaras and Komal Swaras* are played on white keys. And when *Shuddha Swaras* **Sa** is played on white key then *Komal Swaras* and *Tivra Swaras* are played on black keys. On the pattern of tones and Semitones, where tones are natural and Semitones are flats and sharp.

Different Types Of Harmonium

1. Simple Harmonium—

Simple Harmonium is one of the commonly seen, 42 keys, 3½ octaves, 5 to 9 stops and single bellow, with 2 reeds inside. All in one wooden box, suits all kinds of voices and instrument accompnied.

2. Coupler Harmonium—

This Harmonium is made on the same style as simple Harmonium— with the only difference that in coupler Harmonium one more reed board is fitted between the upper reed board. The keys and the wires of that reed board are connected with the keys. When we press any of the keys with the finger, the keys of the second octave press down itself. This type of Harmonium is used by *Bhajan Manadalies* and *Nautankees*.

3. Suitcase Harmonium—

This Harmonium is like suitcase and is used by the *Bhajanik* at the time of travelling. The bellows is adjusted with the upper cover. When it is fitted after opening, it takes the shape of common Harmonium.

4. Scale Change Harmonium—

The construction of this type of Harmonium is like the simple harmonium but the keys are not fitted over the key board. They are fitted with another plate which is connected with another tape. On moving that tape sideward the keys themselves leave their place to fit on another note. So this instrument is useful only for those who practice for playing with one note.

5. Organ Type Harmonium—

This Harmonium is made on the basis of Hand and foot Harmonium. In this instrument the Harmonium and foot bellows remain united. The upper portion cannot be seprated. It looks like wooden box and can be kept in it in folded condition. This is played by sitting on stool or unarmed chair and is used in dramatic clubs.

HARMONIUM ACCORDING TO BELLOWS:

Three types of bellows are used in Harmoniums Normally— Single bellows, Double bellows and multifold bellows.

1. **Single Bellow Harmonium—**

   This Harmonium which contains only one bellow to push air in is called the single bellow harmonium. The one end of the bellow is pasted with the box and other at the bellow plate.

2. **Double Bellow Harmonium—**

   In double bellow Harmonium an extra bellows piece remains adjusted with the main bellow in centre.

3. **Multifold Bellows Harmonium—**

   This bellows is made by uniting several pieces of small bellows. The bellow remain connected with both the plates like simple bellow but inspite of opening as a whole from upper part it opens from one side. This bellow has higher capacity of force to blow air in.

HARMONIUM ACCORDING TO NUMBER OF KEYS:

There are three types of Harmonium:

1. 3 Octave Harmonium containing 37 keys.

2. $3\frac{1}{4}$ Octave Harmonium containing 39 keys.

3. 3 Octave Harmonium containing 42 keys.

Simple Harmonium

Suit Case Type Harmonium

Bellows
To
Harmonium
According

Double Bellows

Tripple Bellows

Multifold Bellows

Orange Type Harmonium →

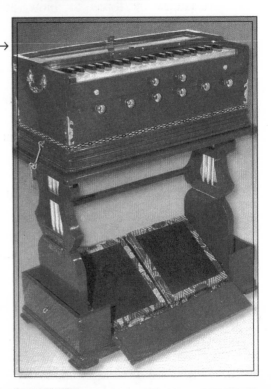

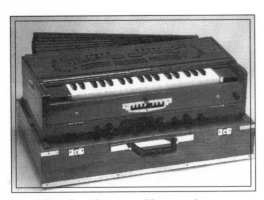

Scale Changer Harmonium

Understanding Different Parts Of Harmonium

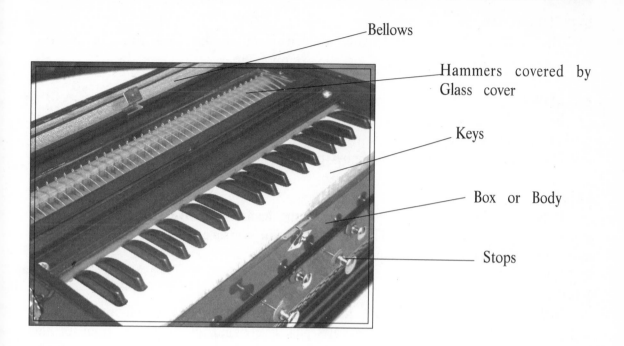

Bellows

Hammers covered by Glass cover

Keys

Box or Body

Stops

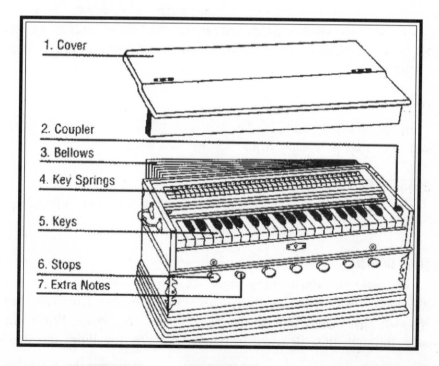

1. Cover

2. Coupler

3. Bellows

4. Key Springs

5. Keys

6. Stops

7. Extra Notes

Parts Of Harmonium

BOX OR BODY

The body or box is fitted with wooden plate at the back side for bellows. It is a house for various parts of the Harmonium.

BELLOWS

Bellows are hard paper on cloth curtain attached on the back of Harmonium, used to pump air through the instruments. The air pushed through bellows passes through rings and produce sound by passing through reeds.

COVER

It is a wooden frame glass, comes over the hammers (*Sundaris or* Brass Springs) which are connected to keys. This is very useful to save hammers from dust and also used to control high frequencies sounds.

STOPS

In the front of the box are four or five stops. The Harmonium is played while pulling these stops out. Stops are pull lever kind of holds, in front of the Harmonium. Stops are used to control the flow of air in the instrument. Stops are sometimes of two types — Main stops and drove stops. Main stops controls the air flow in various reed chambers. The drove stops are used to control the other reeds to produce extra notes which is not even played commonly in composition or song.

KEYS

In the upper portion of the box are black and white keys for producing notes. These are mainly range from 37 to 42 keys.

BRASS SPRINGS *(Sundaris)*

The brass springs are meant for keeping keys in normal position at the time of playing.

REED BOARD

The plate in which these keys are set is called the reed board which contains many holes. The keys are fitted over these holes. The keys are fitted over these holes. On the inner side of the reed board are reeds. When the air from bellows passes through this it tries to come out by touching the reeds.

Part - II

Learning the Instrument

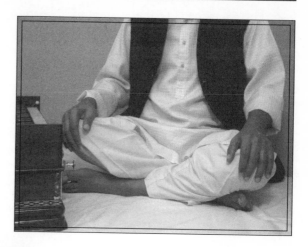

Sitting Position On Harmonium

COMMON INDIAN SITTING POSITION:

Legs crossed on the floor, is the most common sitting posture in India. Most classical Indian musical instruments are played by sitting in this posture. It is adviced to practice sitting this way for long time.

This is the sitting position where Harmonium is kept in front of right knee. This is the common, performance sitting style.

This is the position for playing and practicing for longer times. This is the comfortable sitting posture on Harmonium.

This is one of the common playing style in quawalli & folk performances.

In this position, one end of Harmonium is kept on left knee and other end on the floor. This is the position where the use of bellows is more and not follows a regular speed. For the comfort of bellowing hand, the half Harmonium is kept of left knee.

This is the posture more comfortable for the westerners, who are not comfortable sitting on floor. This is the style of performance along with singing. Harmonium is kept on the right side and be seated on a chair or bench in a comfortable position.

Identification Of Keyboard

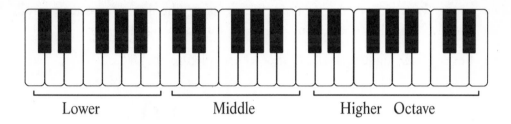

Lower   Middle   Higher Octave

OCTAVE

The keyboard of a normal Harmonium is no different then one of Piano. It has 42 keys in total. Out of which 25 are the white keys, and 17 black keys. Together it makes 3 ½ octaves of Harmonium i.e. Higher, middle and lower octave.

According to Indian music the seven notes makes a *saptak* coontaining notes S R G M P D N. One note i.e. Ṡ of *tar saptak* (higher pitch), along with these completes an octave of eight notes.

Each octave has a set of 5 black keys and its attached white keys below.

As shown in picture, the notes *(swaras)* on the keyboard are played accordingly.

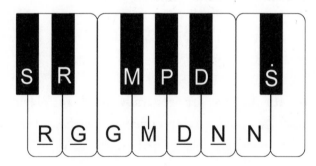

(According to Indian music system, the *Swara* Sa is considered always fixed. That's why playing harmonium can also starts from any black or white key of middle octave and start playing.)

Movement Of Fingers

The fingers of right hand are used for pressing the keys for sound production. The left hand is used for pressing bellows for blowing the air.

The fingers are understood by the given picture below.

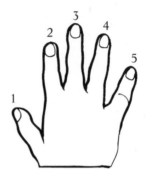

Finger 1. Thumb

Finger 2. Index finger

Finger 3. Middle finger

Finger 4. Ring finger

Finger 5. Small finger

The following are taken care while pressing fingers on keys.

1. Do not put fingers in straight position on the keys. The straight fingers cannot press the keys swiftly. It may effect the free movement of fingers. So, keep the fingers in **semicircular bent state.**

2. At the time of movement of fingers on Harmonium, they **should not cross over one another.** It may put obstacle in playing.

3. **The 2nd, 3rd are 4th fingers are generally used in playing Harmonium.** The 5th finger may also be used, for producing *sparsha swar* (Grace notes). The fingers can be used both on black and white keys.

4. The use of **thumb should be restricted to the white keys only.** It is not be used for pressing the black keys.

5. Do not press the keys heavily. The heavy pressure over the keys may cause inner slit and produce distorated sound.

Use of Bellow

Bellows are used for blowing air into the reeds to produce sound.

Bellows are used by keeping the palm on the edge of the harmonium and fingers together on the corner of the bellow (as shown in the picture). By pressing the fingers towards the palm blows air inside the harmonium.

When the pressure is felt, while pressing the fingers, signifies that air is blown inside the reeds in a right proportion.

The following are to be taken care of while using the bellows:

1. Blowing air through bellows without pressing the keys by other hand, can create extra pressure over the reeds and can spoil the tune.

2. Blow air in to the bellows by slight movement of left hand. If greater pressure is exerted over the bellows, the sound is produced on high pitch and that high sound may cover the tune of the singer.

3. The melodious sound of Harmonium depends upon the pressure of left hand on the bellows. If it is pressed with balanced high or low according to the tune of the song, the sound produced will be sweet.

4. Do not blow air thorough the bellows without opening the stops. On blowing air without opening the stops the pressure of air inside the inner bellows grows high & may lead to explosion of inner bellows.

5. Remove the air of the bellows by pressing the keys before closing it. Close the stops after closing the bellows.

Production Of Basic Notes (swaras)

The basic notes are considered to be the natural notes or *shuddha swaras* which are played on the middle octave these 8 notes are S R G M P D N Ṡ.

1. **Sa**
   The very first note Sa is considered to be the fixed note according to the Indian Notation system. It is played by the 2nd finger pressing the 1st black key of the octave.

2. **Re**
   The second note Re is produced by 3rd or middle finger pressing the 2nd black key of the octave.

Sa Re Ga

3. **Ga**
   The third note Ga is produced by thumb or 1st finger pressing the 3rd white key of the octave.

4. **Ma**
   The fourth note Ma is produced by 2nd finger i.e. index finger pressing the 3rd black key of the octave.

5. **Pa**
   The fifth note Pa is produced by 3rd finger or the middle finger pressing the 4th black key of the octave.

6. **Dha**
   The sixth note Dha is produced by 4th finger i.e. the ring finger, pressing the 5th black key of the octave.

Ma Pa Dha

7. Ni

The Ni is produced by 1st finger i.e. thumb pressing the 7th white key of the octave.

8. Ṡa

The eighth Ṡa of upper octave is produced by 2nd finger or the Index finger pressing the 6th black key of the octave.

Ni Ṡa

Notes Produced by Taking Note (Swar) Sa on White Key

The 7 notes produced by taking note (*Swar*) **Sa** as white key.

The octave start with white key and all *Shuddha Swar* on white keys in continuation. All that notes (*Komal Swaras*) and sharp note (*Tivra Swar*) in black keys.

White keys	Notes Position	Black Keys	Notes Position
1	Sa	1	Flat Re (Re)
2	Re	2	Flat Ga (Ga)
3	Ga	3	Sharp Ma (M̍a)
4	Ma	4	Flat Dha (Dha)
5	Pa	5	Flat Ni (Ni)
6	Dha		
7	Ni		
8	Ṡa		

Basic Exercises

Exercises of basic notes:

S R G M P D N Ṡ   Ṡ N D P M G R S
S R G M P D N Ṡ   Ṡ N D P M G R S

S R G M P D N Ṡ   Ṡ N D P M G R S

SS	RR	GG	MM	PP	DD	NN	ṠṠ
ṠṠ	NN	DD	PP	MM	GG	RR	SS
SSS	RRR	GGG	MMM	PPP	DDD	NNN	ṠṠṠ
ṠṠṠ	NNN	DDD	PPP	MMM	GGG	RRR	SSS

Two notes in one beat *
(* beat, means playing the two or more notes together without a time gap between them. Beat is symbolizes with a bracket (‿) under the notes.)

SR	RG	GM	MP	PD	DN	NṠ	
ṠN	NS	NP	DP	PM	MG	GR	RS
SRG	RGM	MPD	DNṠ	SND	DPM	MGR	GRS
ṠND	DPM	MGR	RGS	SGR	RGM	MDP	DNṠ
SG	RM	GP	MD	PN	DṠ		
ṠD	PN	NP	DM	PG	MR	GS	
SRRG	RGMM	GMMP	MPPD	PDDN	DNNṠ		
ṠNND	NDDP	OPPM	PMMG	MGGR	GRRS		

Suggestions To The Beginners

1. Always make yourself comfortable in sitting position while playing the Harmonium. If you are not comfortable you can't play well.

2. Don't bend you fingers hard on keys, otherwise the sound will distort.

3. Try & relax you fingers and get used to bend you fingers on keys. Practice on table or with soft ball to press the fingers on it.

4. Don't bend on harmonium, keep a normal distance from your instrument to play it comfortably.

5. Don't press the bellows very hard. It can cause disturbance in sound reeds of the harmonium.

6. The elbow of the playing hand should be relaxed and away from the body.

7. Play with curved shaped palm and the wrists should not fall down, but should stand on to put pressure on the fingers.

Part - III

Understanding Music
On Harmonium

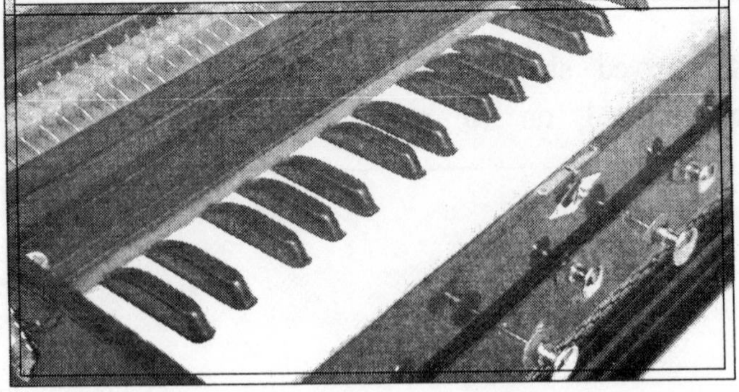

The Evolution Of 'Swaras' (Notes) In Indian Music

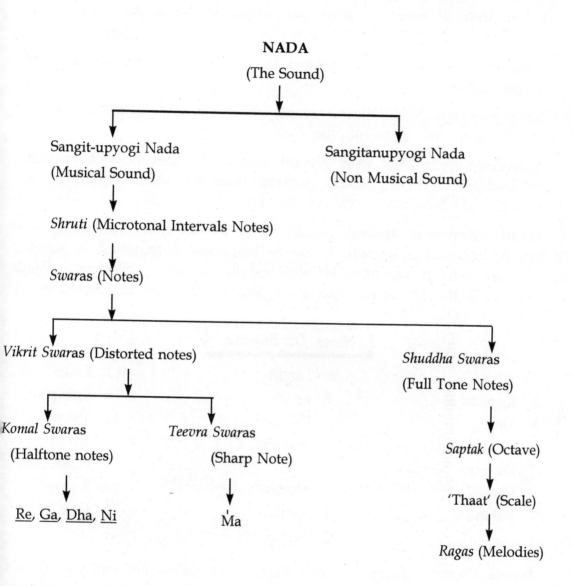

NADA
(The Sound)
Sangit-upyogi Nada
(Musical Sound)
Sangitanupyogi Nada
(Non Musical Sound)
Shruti (Microtonal Intervals Notes)
Swaras (Notes)
Vikrit Swaras (Distorted notes)
Shuddha Swaras
(Full Tone Notes)
Komal Swaras
(Halftone notes)
Teevra Swaras
(Sharp Note)
Re, Ga, Dha, Ni
Ma
Saptak (Octave)
'Thaat' (Scale)
Ragas (Melodies)

Brief Outlines On Indian Music Theory

Indian Music is based on *Ragas* and *Ragas* are based on *Nadas, Shrutis, Swaras; Saptaka* and *Thaats,* as shown in the evolution chart.

Nada (**Sound**) : Is a sound produced by striking, friction or beating. 'Nada' is of two kinds:

(a) *Sangeet-upayogi Nad* (**Musical sound**): It is musical, pleasing and appeals to the ears and mind of the listener.

(b) *Sangeet-un-upyogi Nad* (**Non Musical sound**): The noise or sound produced by machines or rattling sound produced from the objects which are non musical and does not appeal to the ears.

Shruti (**Microtonal Intervals / notes**) It is a microtonal intervals or gap between *Nadas* (musical sounds). It can be heard and distinguished by sensitive musical ears only. It can now be seen visually on an 'Oscilloscope'. *Shrutis* are also called the Microtonal Interval of Sound. There are 22 *Shrutis* which are used in Indian Music.

Name Of Shrutis

1. Tivra
2. Kumudwati
3. Manda
4. Chhandovati
5. Dayavoti
6. Ranjani
7. Raktika
8. Raudri
9. Krodhi
10. Vajrika
11. Prasarini
12. Priti
13. Marjani
14. Kshiti
15. Rakta
16. Sandipini
17. Alapini
18. Madanti
19. Rohini
20. Romya
21. Ugra
22. Kashobhini

Swaras (**Notes**) : *Swaras* or notes produced by *Shrutis* but with big intervals or Gaps, can be distinguished by the ears of listeners. 'Swaras' and 'Shrutis' are alike, the difference between the two is that, the 'Swaras' are measured by *Shrutis* depending on the intevals or number of *Shrutis. Swaras* are of two types i.e., *Vikrits Swara* (**Distorted note**) and *Shuddha Swara* (**Full Tone note**)

Shuddha Swaras (**Full Tone Tones**). These are natural notes which are placed on the *Shrutis.*

To recognize the minute gap of Shrutis easily, **Shudha Swaras or Full Tone Notes** came in practice and called the **Natural notes**. These seven Swaras are :

SEVEN SWARAS AND NUMBER OF SHRUTIS

S. No.	Name of Swaras	Shuddha Swaras	Western Notes	Shruti
1.	Shadaj	Sa	C	4 Tivra, Kumudawati, Manda Chhandobati.
2.	Rishab	Re	D	3 Cayawati, Ranjani, Rakhita
3.	Gandhar	Ga	E	2 Raudri & Krodhi
4.	Madhyam	Ma	F	4 Bajrika, Prasarini, Priti, anjari
5.	Pancham	Pa	G	4 Ksheti, Rakta, Sandipini Alapini
6.	Dhaiwat	Dha	A	3 Madanti, Rohini, Ramya
7.	Nishad	Ni	B	2 Urga Kshovini

After recognition of these full tone notes, the gap seemed wider within the notes. Wider the gap, greater is the obstrution to sweetness of sound.The musicians fixed the **Half Tone Notes** or **Flat Notes** (*Komal Swaras*) between the two **Full Tone Notes** (*Shuddha Swaras*), and **Distorted notes** (*Vikrit Swaras*) came into practice.

***Vikrit Swaras* (Distorted Notes)** : *Vikrit Swar*as are of two types; they are *Komal Swar*as (Flat Notes or Half Tone Notes) and *Teevra Swar*a (Sharp notes).

But a rule was also framed along, that *Sa* and *Pa* will not be changed in **Half tone notes (Komal Swaras)** or **Sharp tone notes (*teevra swar*)**.

***Komal* Swaras (Flat notes or Half Tone Notes)** are fixed between the two **Full Tone (*shudha notes*)**. These *Swar*as are a bit lower in pitch from the *Shuddha Swar*as. They are symbolised in notation by a Dash (_) below the note such as **Re**.

↳ There are four *Komal Swar*as (flat notes). These are **Re, Ga, Dha, & Ni**

The note which takes place after the full note, is called **sharp note** (***Tivra Swar***). This *Swar* is a bit higher in pitch from the ***Shuddha Swara***. It is symbolised in notation by a small vertical line (**I**)over the note.

↳ There is only one *Teevra Swar,* that is **Ma**.

Therefore the series of 12 notes came in practice in the whole world as below :

SHUDDHA, KOMAL AND TIVRA SWARAS

Sl. No.	Swaras	Swaras Description	Western Name
1.	**Sa**	**Shudha (Fixed)**	**C Fixed**
2.	Re	Komal	D Half Tone note
3.	**Re**	**Shuddha**	**D Full tone note**
4.	Ga	Komal	E Half tone note
5.	**Ga**	**Shuddha**	**E Full tone note**
6.	**Ma**	Shudha	**F Full tone note**
7.	Ma	Tivra	F Sharp note
8.	**Pa**	**Shuddha (Fixed)**	**G Fixed**
9.	Dha	Komal	A Half tone note
10.	**Dha**	**Shuddha**	**A Full note**
11.	Ni	Komal	B Half Tone note
12.	**Ni**	**Suddha**	**B Full Note**

The group of these 7 Natural Notes (*Shuddha Swaras*) makes a *Spatak* (Octave). the *Saptak* also includes 4 *Komal* and 1 *Teevra Swar*, thus it makes all the given 12 Notes to make a complete **Saptak (Octave).** *Saptak* (octave) also means *guru* notes of Indian Music i.e., **Sa Re Ga Ma Pa Dha Ni.** Definate Combination of these *Swar*as (Notes) from the *Saptak*, forms a **Thaat (scale)**, which is the pro creator of the *Ragas*.

Ragas **(Melodies)** are the particular combination of these notes or group of notes, which are produced from **Thaats (scales).**

SAPTAK (Octave)

According to the Indian theory of music there are 3 pitches of human voice.

They are called *Saptaka* or a group of seven *Shuddha* notes. These seven notes also include four *komal* and one *Tivara Swara,* thus human voice is distinguished under three particular parts :

1. ***Madhya Saptaka*** (Medium Octave) — When the sound naturally comes out of the throat without any pressure, it is called the throat voice. The Medium octave or Madhya Saptaka.

2. ***Mandra Saptaka*** (Lower Octave) — When the sound comes out entirely by the pressure of lungs, it is called the chest voice or Mandra Saptaka (Lower Octave). In this Saptaka the pitch of sound is lower than of midum octave.

3. ***Tar Saptaka*** (Upper Octave) — When the sound is produced loudly with the exersion of force on nostrils and head, it is called head voice or Tar Saptaka (Upper Octave) The pitch of sound is higher than that of medium octave.

THAAT

Ordinarily a Thaat is a combination of *Swaras* or notes capable of producing *Ragas*. The Thaat must Satisfy these 3 Basic conditions :

1. A Thaat must possess 7 notes in regular form.

2. The *Shuddha, Komal* or *Tivra Swaras* must come after the other.

3. It is a mere scale and combination of notes. It is not essential that it may please the listeners.

> Note : According to Bhatkhande system, there are 10 Thaats are in practice in Indian music.

RAGAS

Raga is a combination of sounds or *Swaras* having qualities to please the mind of listeners. Every *Raga* has peculiar qualities of its own. To get Knowledge of *Ragas,* the player should bear in mind the following points :

1. *Ragas* must belong to Thaat.

2. At least 5 notes are essential for a *Raga.*

3. In a *Raga,* melody is very essential.

4. *Ragas* must possess its own ascent and descent (*Aroha* and *avaroha*) and fixed notes *(Vadi & Samvadi)*.
5. **Sa** *Swara* (C note) is fixed in every every *Raga*, and **Ma** & **Pa** both are not to be omitted same time.

CATEGORIES OF RAGAS

Following 3 are the most common catagories of Ragas :

1. ***Sampuran*** having seven notes in Ascent & *Descent*.
2. ***Shadva*** having 6 notes in Ascent & Descent.
3. ***Oduva*** having 5 notes in same Swaras both in Ascent & Descent.

CATEGORIES OF RAGAS

S. No.	Category	No. of Swaras		Total No. of Ragas with the Combintion of Ascent & Descent notes
		Ascent	Descent	
1.	Sampurna Sampurna	7	7	1 — 1 x 1 — 1
2.	Shadava–Shadava	6	6	6 — 6 x 6 — 36
3.	Odava–Odava	5	5	15 — 15 x 15 —225
4.	Sampurna–Shadava	7	6	6 — 1 x 6 — 6
5.	Sampurna–Odava	7	5	15 — 1 x 15 — 15
6.	Shadva–Sampurna	6	7	6 — 6 x 1 — 6
7.	Shadva–Odava	6	5	90 — 6 x 15 — 90
8.	Odava–Sampurna	5	7	15 — 15 x 1 — 15
9.	Odava–Shadava	5	6	90 — 15 x 6 — 90

Taal & Lay (Time & Rhythm)

TAAL

In Indian music the time element is an essential process. The regular succession of sound Vibration is necessary to make sound musical. Also in vocal, Instrumental music and dancing, intervals are created to make it melodious and presentable. These intervals were created by clapping of hands and hence it is called Taal.

Pakhavaj, Mirdang, Dhol, Nakkara, Duff, Khanjari and Tabla etc. are the instruments used for the purpose of *Taal*. Out of these musical instruments, tabla is the most popular.

The late Indian musicians invented many *taals* of different *matras* (Beats) *Khand* (Bars) and *Boles* (Words) and fixed the points of *'Sam'*, *Talis* and *Khalis* for every *Taal*.

MATRA (Stroke or Beat)

A matra is taken as the shortest time in which a syllable can be properly pronounced. In medium Rhythm the time of a *matra* is presumed to be one second, in fast Rhythm half second and in slow Rhythm two second.

BOLES

Sound produced by Tabla *Daya* or *Baya* by the stroke of fingers and hand in different ways is called boles i.e. Ta, Na, Tee, Tin, Ke, Ge, Te, Tay, Dha, Dhe, Dhin.

THEKA

The round of a *Taal* has fixed *matras* and on every *matra* there are boles. They are called **Thekas**.

TALI

Clapping of hands is called *Tali* i.e. *Theka* of *Talas* having *Tali* points marked 1 3 4 5 etc.

KHALI

Khali means a gap of some *matras* within *boles* of *Theka* played by right hand on Tabla only, the left (*Duggi* or *Dhama*) remains silents in *khali matra's* time.

Khali points helps the classical musicians to understand the starting point of their *Taal* (Sam point) when they sing Khayal, for *Khali* point on *Theka*, 'O' sign on the *matra* point is shown in every *Tal*.

SAM

The Starting point of *Taal* is called *sam*. Say first *matra* of *taals* is *sam* point and on every *theka* it is shown by (×) sign.

Lay (Rhythm Or Speed)

LAY: (Rhythm)

In ordinary sense *lay* means Rhythm or speed, or any regular movement to complete a circle in a definite time. It is a natural harmonious flow of vocal and instrumental sound and also a regular succession of accent. According to the observations there are three types of Rhythm have been accepted in Indian music. All the percussion instruments are used to control and regularise the musical sound.

The Three types of Rhythm are :

1. *Madhya Lay* (Medium or Normal Rhythm).
2. *Drut Lay* (Quick or Fast Rhythm).
3. *Vilambit Lay* (Slow Rhythm).

NORMAL RHYTHM

Normal Rhythm is the time required by musician to complete a round or a circle of a part of song, tune or dance in easy way without any exertion. Normal Rhythm is the base of the remaining two Rhythms i.e. fast and slow Rhythms.

FAST RHYTHM

Fast Rhythm means half the time of normal Rhythm. i.e. if a musician ruquires one minute time to complete a part of song. Tune or dance, in normal Rhythm, he will require half of the time taken by the normal Rhythm. In other words we can say that the musician can take two rounds of his difinite part of play in the time required in the normal Rhythm.

SLOW RHYTHM

In slow Rhythm a musician takes double the time to complete the round required by the medium or normal Rhythm. Suppose, if he complete a round of his played song one minute in normal Rhythm he will take two minutes to complete the same song.

BOLES OF THEKA TAL TEEN

Sam				Tali				Khali				Tali			
+				2				0				3			
1	2	3	4	5	6	7	8	9	10	11	12	13	14	15	16
Na	Dhi	Dhi	Na	Na	Dhi	Dhi	Na	Na	Tee	Tee	Na	Na	Dhi	Dhi	Na

Indian Music Notation System

Tips To Read A Composition

1. **Shudha Swaras (Full tone Notes):**
No sign is required i.e. Sa. Re, Ga, Ma, Pa, Dha, Ni. Only first word is required in notation i.e. S, R, G, M, P, D, N.

2. **Komal Swaras (Half Tone Notes):**
A dash (—) is placed under the notes i.e. $\underline{R}$ $\underline{G}$ D $\underline{N}$.

3. **Tivra Swara (Sharp Note):**
A small perpendicular line is placed over the note i.e. $\overset{|}{M}$.

4. **Madhya Saptak Swaras (Medium Octave Notes):**
No sign is required for this octave notes i.e. S R G M P D N.

5. **Mandra Saptak Swaras (Lower Octave Notes):**
A dot is placed under the notes i.e. $\underset{\cdot}{S}$ $\underset{\cdot}{R}$ $\underset{\cdot}{G}$ $\underset{\cdot}{M}$ $\underset{\cdot}{P}$ $\underset{\cdot}{D}$ $\underset{\cdot}{N}$

6. **Ati Mandra Saptak Swaras (Double lower octave):**
Two dots are placed under the notes i.e. $\underset{\cdot\cdot}{S}$ $\underset{\cdot\cdot}{P}$

7. **Tar Saptak Swaras (Upper Octave Notes):**
A dot is placed over the notes $\dot{S}$ $\dot{R}$ $\dot{G}$ $\dot{M}$ $\dot{P}$ $\dot{D}$ $\dot{N}$

8. **Matras Shown in Number. 1 2 3 4 5 6 etc.:**
Ordinarily one note shows one Matra time.

9. **Tali:**
Numbers are written on the bars.

10. **Khali:**
A Zero (0) is shown on the bar.

11. **Sam:**
A sign of (×) is marked on the first matra of every Taal.

12. **Khand (Bar):**
Perpendicular lines are drawn for the parts of Talas.

13. For rest or prolonging the Notes, a dash (—) marked after the notes. One dash shown one matra time.

	Sam	Tali	Khali	Tali
	×	2	0	3
Matras	1 2 3 4	5 6 7 8	9 10 11 12	13 14 15 16

14. Two, Three or Four notes in a ***matra*** time. These notes are combined together by a bracket under notes i.e.SR SRG SRGM

15. **Jhala (Vamping):**
A samll **(v)** is written after the main note such as Sv, Rv, Gv.

16. **Meend:**

Meend is shown by a semi circular line over the notes i.e. SG SM SP.

17. **Chikari:**
Samll **(c)** is marked after note. i.e. Sc, Rc, Gc.

18. **Kan Swara (Grace note):**
Small letter is written over the main note.

M^G P^M

19. **Prolonging, Pause or Rest on the note :**
Dashes are placed after one note, one dash is fixed for one matra time.
i.e. S—, R— —,G— —.

Western Notation System

The Western notation system is based on time sign and their place. These signs show both the *Swaras* and the time by the same Symbol. These signs are the notes, represented on a pattern of 5 horizontal lines and 4 equal spaces between them called the Staff. There are two sets of the staff on which music as notes is written: one for the lower tones or sounds and the other for the higher tones or sounds. The ***lower tones or pitches*** are represented by the **Bass** (*pronounced base*) **Staff** on which the Bass Clef Sign (𝄢) is written and the ***higher tones or pitches*** and ***medium tones or pitches*** are represented by the **Treble Staff** on which the Treble clef sign (𝄞) is written. Together these two staves make the **Grand Staff.**

The symbols for notes used in western music and their near meanings in Indian Music are given below.

Types of Note	Symbols	Sound Values
Whole Note or Semi-breve	𝅝	4 beats (*Matra*) of sound
Half Note or Minim	𝅗𝅥	2 beats (*Matra*) of sound
Quarter Note or Crotchet	♩	1 beat (*Matra*) of sound
***Dotted Half Note** or Dotted Minim	𝅗𝅥.	3 beats (*Matra*) of sound
Eighth Note or Quaver	♪	½ beats (*Matra*) of sound
16th Note or Semi-quaver	𝅘𝅥𝅯	¼ (*Matra*) beat of sound
Full Tone Notes or Naturals	♮	Shudh Swaras (denotes as SRGMPDN)
Half Tone Notes or flats	♭	Komal Swaras (denotes with line under the note: S R̲G̲ MP D̲M̲)
Sharp Notes	♯	Tivra Swara (denote with a vertcal line over the note; SRGM̍PDN)
Bass	𝄢	mandra Saptaka (denote with a '.' under the note; Ṣ Ṛ G̣ Ṃ P̣ Ḍ Ṇ
Treble	𝄞	tar saptak (denote with a '•' over the note; Ṡ Ṙ Ġ Ṁ Ṗ Ḋ Ṅ

Points to Remember for Combined Notation System

Before using combined notation system the musicians should bear the following points in mind.

1. The middle point C is fixed for every song, *Raga* or tune, as Sa and this C note cannot be omitted. All the tunes are based on C note.

2. G note *[P]* cannot be changed in half tone or sharp notes.

3. P and F cannot be omitted at a time in any *Raga*.

Symbol of $\frac{1}{4}$ matra of staff notation is accepted by our combined notation system, equals to one *matra* time. Symbols of No. 1 and No. 2 are not used in combined notation system. The remaining fractional *matra* time symbols may be used as they are. The position of symbol of time notes in clef are accepted as they are.

Symbols of half tone notes and sharp note are accepted, The symbol of rest [—] is accepted for rest or prolonging the notes and not for stopage. This symbol denotes one matra time. The symbol of prolonging notes for meend without dots are accepted as [⌣] and for combined notes as [⌐].

Combined Notation System

1. **Full tone Notes:**
   Shudha swaras.

   S R G M P D N

2. **Half tone notes:**
   Komal Swaras.

   S R G M P D N

3. **Sharp notes:**
   Tivra swara.

   S R G M P D N

4. **Medium Octave notes:**
   Madhya saptak ke swar.

   S R G M P D N

5. **Upper octave notes:**
   Tar saptak ke swar.

   Ṙ Ġ Ṁ Ṗ

6. **Lower octave notes:**
   Mandra saprak ke swar.

7. **Double lower octave notes:**
   Ati mandra saptak ke swar.

   M P D N
   . . . .

8. Combined notes in a *matra* time or more than two *swaras* in one *matra* time.

   SS SRG SRGM

9. Rest or prolonging note.

Tali	1 2 3 4
Khali	0
Sam	×

   S – SR – R G M –

Boles Of Famous Thekas

BOLES OF THEKA TAL KEHARWA

Sam			
×			
1	2	3	4
Dhin	Dha	Tin	Na

BOLES OF THEKA TAL KEHARWA

Sam				Khali			
×				0			
1	2	3	4	5	6	7	8
Dhin	Dha	Tin	Na	Na	Ke	Dhin	Na

BOLES OF THEKA TAL ROOPAK

Sam			Tali		Tali	
×			2		3	
1	2	3	4	5	6	7
Tin	Tin	Na	Dhin	Na	Dhin	Na

BOLES OF THEKA TAL DADRA

Sam				Tali	
×			0		
1	2	3	4	5	6
Dha	Dhin	Na	Dha	Tin	Na

BOLES OF THEKA TAL TEEN

Sam						Khali						Khali			Kali
×				0				0				3			
1	2	3	4	5	6	7	8	9	10	11	12	13	14	15	16
Dhin	Dha	Tin	Na	Na	Ke	Dhin	Na	Dha	Tin	Tin	Ta	Ta	Dhin	Dhin	Dha

Indian Music Notation On Harmonium

In Indian music, seven full tone, four half tone and one sharp note are used. The gaps between them are as follows:

Gaps between Natural Scale:

S 1 R 1 G $\frac{1}{2}$ M 1 P 1 D 1 N $\frac{1}{2}$ Sa

Gaps between 12 notes:

S $\frac{1}{2}$ $\underline{R}$ $\frac{1}{2}$ R $\frac{1}{2}$ $\underline{G}$ $\frac{1}{2}$ G $\frac{1}{2}$ M $\frac{1}{2}$

$\overset{|}{M}$ $\frac{1}{2}$ P $\frac{1}{2}$ $\underline{D}$ $\frac{1}{2}$ D $\frac{1}{2}$ $\underline{N}$ $\frac{1}{2}$ N $\frac{1}{2}$ Ṡ

The keys of Harmonium are fixed according to the above gaps:

The arrangement of notes in Harmonium is as follows:

1.	Sa fixed	Full Tone Note	S
2.	$\underline{\text{Re}}$	Half Tone Note	$\underline{R}$
3.	Re	Full Tone Note	R
4.	$\underline{\text{Ga}}$	Half Tone Note	$\underline{G}$
5.	Ga	Full Tone Note	G
6.	Ma	Full Tone Note	M
7.	$\overset{|}{\text{Ma}}$	Sharp Note	$\overset{|}{M}$
8.	Pa fixed	Full Tone Note	P
9.	$\underline{\text{Dha}}$	Half Tone Note	$\underline{D}$
10.	Dha	Full Tone Note	D
11.	$\underline{\text{Nee}}$	Half Tone Note	$\underline{N}$
12.	Nee	Full Tone Note	N
13.	Ṡ	Fixed Upper Octave	Ṡ

The key, from 1 to 12 are called the notes of lower octave, keys from 13 to 24 are called the notes of medium octave, while keys from 25 to 37 are called the notes of upper octave.

You can set any of the key of Harmonium as **Sa** note according to the voice of your throat. Fix No. 13 on the key which suits your throat and arrange further numbering accordingly. You will get all the notes of medium Octave automatically.

The male musicians usually fix as their **Sa** on any of the note from **Sa** to **Ma** i.e. from key No. 13 to 18. The black keys from 14 to 16 are fixed as **Sa** by the majority of male musicians, as the Harmonium can be played easily when any black key is fixed as Sa.

The sound of female musicians have higher pitch. Therefore, they fix **Sa** point according to their throats from **Ma** to **Nee** i.e. key nos. 18 to 24. Genrally black keys are used as Sa and the keys No. 19, 21 and 23 are used.

The notes of other octaves i.e. Lower and Upper are set naturally.

KEYBOARD WITH THE NO. OF KEYS

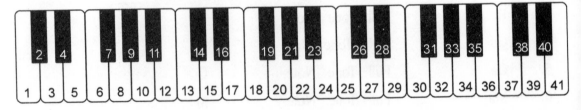

Part - IV

Exercises

Natural Scale Exercise

S R G M P D N Ṡ

Ṡ N D P M G R S

SS	RR	GG	MM	PP	DD	NN	ṠṠ

ṠṠ	NN	DD	PP	MM	GG	RR	SS

SRGG	RGMM	GMPP	MPDD
PDNN	DNṠṠ	ṠNDD	NDPP
DPMM	PMGG	MGRR	GRSS

SR	SR	G	G	RG	RG	M	M	GM	GM	P	P	PM	PM	D	D
PD	PD	N	N	DN	DN	Ṡ	Ṡ	ṠN	ṠN	D	D	ND	ND	P	P
DP	DP	M	M	PM	PM	G	G	MG	MG	R	R	GR	GR	S	S

SR	GM	P	P	RG	MP	D	D	GM	PD	N	N	MP	DN	Ṡ	Ṡ
ṠN	DP	M	M	ND	PM	G	G	DP	MG	R	R	PM	GR	S	S

S	R	G	M	R	G	M	P	G	M	P	D	M	P	D	N
P	D	N	Ṡ	Ṡ	N	D	P	N	D	P	M	D	P	M	G
P	M	G	R	M	G	R	S	S	S	R	—	G	G	M	—

SRG	RGM	GMP	MPD	PDN	DNṠ
ṠND	NDP	DPM	PMG	MGR	GRS

Natural Scale

Position of Finger on keys

Notes	Kee No.	Thumb & Fingers
Sa	13	Thumb or 1st finger
Re	15	2nd finger
Ga	17	3rd finger
Ma	18	4th finger
Pa	20	Thumb or 1st finger
Dha	22	2nd finger
Nee	24	3rd finger
Ṡa	upper octave	4th finger

Tune of Natural Scale

TAL TEEN

Part - I

3				×				2				0			
G	P	N	N	S	—	Ṡ	Ṡ	Ṡ	R	Ṡ	N	D	P	MG	MR
G	M	P	MG	M	R	S	—	D	N	Ṡ	N	D	P	MG	MR

Part - II

P	—	N	N	Ṡ	—	Ṡ	—	Ṡ	Ġ	Ġ	Ṁ	Ġ	Ṙ	Ṡ	Ṡ
Ṡ	—	Ġ	Ṙ	Ṡ	—	D	P	D	N	S	ṠN	D	P	MG	MR

S R G M̍ P D N Ṡ

Ṡ N D P M̍ G R S

SS RR GG M̍M̍ PP DD NN ṠṠ

ṠṠ NN DD PP M̍M̍ GG RR SS

SRGG RGM̍M̍ GMPP M̍PDD
PDNN DNṠṠ ṠNDD NDPP
DPM̍M̍ PM̍GG M̍GRR GRSS

SR SR G G RG RG M̍ M̍ GM̍ GM̍ P P PM̍ PM̍ D D

PD PD N N DN DN Ṡ Ṡ ṠN ṠN D D ND ND P P
DP DP M̍ M̍ PM̍ PM̍ G G M̍G M̍G R R GR GR S S

SR GM̍ P P RG M̍P D D GM̍ PD N N M̍P DN Ṡ Ṡ
ṠN DP M̍ M̍ ND PM̍ G G DP M̍G R R PM̍ GR S S

S R G M̍ R G M̍ P G M̍ P D M̍ P D N
P D N Ṡ Ṡ N D P N D P M̍ D P M̍ G
P M̍ G R M̍ G R S S S R — G G M̍ —

SRG RGM̍ GM̍P M̍PD PDN DNṠ
ṠND NDP DPM̍ PM̍G M̍GR GRS

Sharp Note

Position of Finger on keys

Notes	Kee No.	Thumb & Fingers
Sa	13	Thumb or 1st finger
Re	15	IInd finger
Ga	17	IIIrd finger
M̍a	19	IVth finger
Pa	20	Thumb or 1st finger
Dha	22	IInd finger
Nee	24	IIIrd finger
Ṡa	upper octave	IVth finger

Tune of Sharp Note:

TAL TEEN

Part - I

0	3	×	2
N D — P	M̍ P G M̍	P — — —	P M̍ G R
S R G R	G M̍ G R	P M̍ G R	G R S —
Ṇ R G M̍	P D N Ṡ	R Ṡ N D	P M̍ G M̍

Part - II

0	3	×	2
G̣ G̣ P̣ D	P Ṡ — Ṡ	N Ṙ Ġ Ṙ	Ṡ N D P
G R S N	D P N D	P M̍ G R	G R S —
N R N M̍	P D N Ṡ	R Ṡ N D	P M̍ G M̍

Half Tone Note Exercise

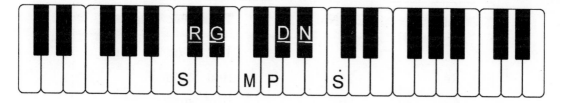

S R̲ G̲ M P D̲ N̲ Ṡ

Ṡ N̲ D̲ P M G̲ R̲ S

SS   R̲R̲   G̲G̲   MM   PP   D̲D̲   NN   SS

Ṡ̇Ṡ   N̲N̲   D̲D̲   PP   MM   G̲G̲   R̲R̲   SS

SR̲G̲G̲   R̲G̲MM   G̲MPP   MPD̲D̲
PD̲NN   D̲NṠ̇Ṡ   ṠNDD   NDPP
D̲PMM   PMG̲G̲   MG̲R̲R̲   G̲RSS

S̲R̲ S̲R̲ G G   R̲G̲ R̲G̲ M M   G̲M̲ G̲M̲ P P   P̲M̲ P̲M̲ D̲ D̲
P̲D̲ P̲D̲ N N̲   D̲N̲ D̲N̲ Ṡ Ṡ   Ṡ̲N̲ Ṡ̲N̲ D D   N̲D̲ N̲D̲ P P
D̲P̲ D̲P̲ M M   P̲M̲ P̲M̲ G G   M̲G̲ M̲G̲ R R   G̲R̲ G̲R̲ S S

S̲R̲ G̲M̲ P P   R̲G̲ MP D D   G̲M̲ PD̲ N N   MP DN̲ Ṡ Ṡ
Ṡ̲N̲ D̲P̲ M M   N̲D̲ PM G G   D̲P̲ MG̲ R R   PM G̲R̲ S S

S   R̲   G   M   R̲   G̲   M   P   G̲   M   P   D̲   M   P   D̲   N̲
P   D̲   N   Ṡ   Ṡ   N̲   D   P   N̲   D̲   P   M   D̲   P   M   G̲
P   M   G̲   R   M   G̲   R   S   S   S   R̲   —   G   G   M   —

SR̲G̲   R̲GM   G̲MP   M P D̲   PDN   DNṠ
ṠN̲D   NDP   D̲PM   PMG̲   MG̲R   G̲RS

Half-Tone Note

Position of Finger on keys

Notes	Kee No.	Thumb & Fingers
Sa	13	Thumb or 1st finger
Re	14	IInd finger
Ga	16	IIIrd finger
Ma	18	IVth finger
Pa	20	Thumb or 1st finger
Dha	21	IInd finger
Ni	23	IIIrd finger
Sa	upper octave	IVth finger

Tune of Half-Tone Note:

TAL TEEN

Part - I

0				3				×				2			
S	D	P	D	M	P	G	M	N	D	—	S	—	R	G	M
G	R	S	—	D	N	S	R	N	S	M	M	G	G	R	R

Part - II

0				3				×				2			
N	S	G	M	D	M	D	N	S	—	S	—	G	G	R	S
N	S	G	M	P	G	—	M	G	R	S	—	G	G	R	S
S	S	N	N	D	D	P	P	M	M	G	G	R	R	S	—

Exercises On Ragas

Raga Bhairavi

Ascent : S, R G M, P D, N S.

Descent : Ṡ, N D P, M G, R S.

Pakad : M, G, S R S, Ḍ Ṇ S.

SONG RAGA BHAIRAVI

Ab toree bakee lo aniyare.
Ab toree bakee Chitawan mero man bas keeno.
Piyaree piyaree batiyan karake.
Sanad kahe mora jiyora nahin mane.
Dar deeno mope jadoo Sa kachhu Karike.

RAGA BHAIRAVI (Tal Teen)

Part - I

2				×				2				0			
Ṇ	S	G	M	D	—	P	—	G	—	P	M	Ṛ	—	S	—
A	b	to	ree	ba	—	kee	—	lo	—	a	ni	ya	—	re	—
Ṇ	S	G	M	D	—	P	—	D	D	P	P	D	N	D	P
A	b	to	ree	ba	—	kee	—	chi	ta	wa	n	me	ro	ma	n
M	P	G	M	D	—	P	G	—	G	P	M	G	R	S	R
ba	S	kee	no	piya	—	ri	piya	—	ree	ba	ti	ya	ka	ri	ke

Part - II

D	M	D	N	Ṡ	—	Ṛ	Ṡ	N	N	Ṡ	Ṡ	R	NṠ	D	P
sa	na	d	ka	he	—	mo	ra	jiy	ra	na	hi	ma	—	ne	—
G	—	—	Ṛ	Ṡ	D	—	P	G	G	P	M	G	R	S	R
da	—	r	dee	no	mo	—	pe	ja	doo	sa	ka	chhoo	ka	ri	ke

Exercises On Ragas

Raga Yaman Kalyan

Ascent : S, R G M̍, P D, N Ṡ.

Descent : Ṡ N D P, M̍ G, R S.

Pakad : N, R G R, S, P M̍ G, R, S.

GEET RAGA YAMAN

Guru bin kaise gun gayen.
Guru na manen to gun nahi awen.
Guniyan men be gunee kahawen.
Manen to rijhawe sabko.
Charan gahe sadeekan ke jab.
Awe Achapal tar swar

RAGA YAMAN (Tal Teen)

Part - I

0				3				×				2			
P	P	N	D	P	D	P	—	M̍	R	M̍	M̍	P	—	—	—
Gu	ru	bi	n	kai	—	Se	—	gu	n	ga	—	wen	—	—	—
P	N	D	P	—	M̍	G	R	G	R	GM̍P	R	S	R	S	—
Gu	ru	n	ma	—	ne	to	—	gu	n	na	been	aa	—	we	—
S	S	R	R	G	M̍	M̍	—	P	P	—	N	M̍	D	P	—
gu	ni	ya	n	men	—	be	—	gu	nee	—	Ka	ha	—	we	—

Part - II

P	—	P	M̍	G	—	R	—	P	N	S	D	Ṡ	Ṡ	Ṡ	—
ma	—	ne	—	to	—	ri	—	jha	—	we	—	Sa	ba	ko	—
Ṡ	Ṡ	Ġ	Ṙ	Ṡ	Ṙ	Ṡ	—	N	D	Ṡ	Ṡ	Ṅ	Ṅ	M̍	P
Cho	ro	n	ga	he	—	sa	—	dee	—	ka	n	ke	—	ja	b
P	G	P	—	G	R	S	S	SR	GM	DD	NS	ND	PM	GR	SS
aa	—	we	—	a	cha	pa	l	ta	—	—	—	—	—	la	swar

Exercises On Ragas

Raga Bhoopali

Ascent : S R G P, D Ṡ.

Descent : Ṡ, D P, G R S.

Pakad : G R S D, S R G, P G, D P G R S.

GEET RAGA BHOOPALI

Itano jabon par man na kariye
Dariyo Prabhu son, aaj toree ali.
Jo koi awe apane dhingwa
Tason garav na keejiye.

RAGA BHOOPALI (Tal Teen)

Part - I

0				3				×				2			
Ṡ	Ṡ	D	P	G	R	S	S	P	G	P	P	P	D	D	—
I	ta	no	jo	ba	na	pa	r	ma	—	n	na	ka	ri	ye	—
G	G	G	R	G	P	D	Ṡ	ṠP	D	Ṡ	Ṡ	ṠṠ	DP	GR	SS
da	ri	ye	—	Pra	bhoo	son	—	aa	j	j	to	ree	aa	—	jee

Part - II

G	—	G	G	P	—	Ṡ	Ṡ	Ṡ	Ṡ	Ṡ	—	Ṡ	Ṙ	Ṡ	—
jo	—	ko	i	aa	—	we	—	a	pa	ne	—	dhin	ga	wa	—
Ṡ	—	Ṡ	—	Ṡ	Ṡ	Ṡ	Ṙ	Ṡ	Ṙ	Ġ	Ṙ	Ṡ	Ṡ	Ḋ	Ṗ
ta	—	son	—	ga	ra	ba	na	kee	—	—	ji	ye	—	—	—

Exercises On Ragas

Raga Bageshwary

Ascent : Ṡ Ṇ̲ D Ṇ̲ S M G M D N Ṡ.

Descent : S N̲ D M G̲ M G̲ R S.

Pakad : S Ṇ̲ Ḍ S M D N̲ D M G̲ R S.

GEET RAGA BAGESHWARY

Kaun karat toree vinati piharwa.
Mano na mano hamaree bat
Jaba se gaye mori sudhehu na lee s nee s
Kahe montan ke ghar jat.

RAGA BAGESHWARY, MEDIUM SPEED (Tal Teen)

Part - I

0	3	×	2
Ṡ — N̲ D	M P D D	G̲ — R S	R R S —
Kau — na ka	ra t to ree	vi na ti pi	ha r wa —
Ṡ Ṅ D —	S — M M	D P D ṄD͜	M G R S
ma — no n	ma — no —	ha ma ree	— ba t —

Part - II

G M D Ṅ̲	Ṡ — Ṡ Ṡ	N̲ Ṡ Ṙ Ṡ	N̲ Ṡ M̲ D
ja ba se ga	ye — mo re	su dha hun na	lee — nee —
Ṡ — N̲ N̲	D — M P	G̲ — R S	R R S —
Ka — ha —	Son — ta n	ke — — gha	r ja — ta

Exercises on Hindi Film Songs

Film: **ARADHNA**

MERE SAPANON KI RANI

Mere Sapano kee rani kab aegi too,
Aee rutmastani, kab aegi too?
        Beetee jai jindgani, kab aegi too,
        chali aa, too chali aa—
Phool see khil ke, pas aa dil ke,
door se mil ke, chen na ae.
        Aur kab tak mujhe tarpaegi too,
        Mere Sapano kee rani kab aegi too,
Kya hai bharosa ashik dil ka,
aur kisee pae yee aa jae,
        Aa gaya to bahut pachhataegi too.
        Mere Sapano kee rani kab aegi too.

फिल्म: आराधना

मेरे सपनों की रानी

मेरे सपनों की रानी कब आएगी तू
आई रुत मस्तानी कब आएगी तू?
    बीती जाए जिन्दगानी कब आएगी तू
    चली आ, तू चली आ—
फूल सी खिलके, पास आ दिल के,
दूर से मिल के चैन ना आए,
    और कब तक मुझे तड़पाएगी तू
    मेरे सपनों की रानी कब आएगी तू
क्या है भरोसा आशिक दिल का,
और किसी पे ये आ जाए,
    आ गया तो बहुत पछताएगी तू
    मेरे सपनों की रानी कब आएगी तू

Tal Kehrwa $\frac{4}{4}$

PART-I

	—	—	S	S	M	M	M	G	P	P	P	G	M	M	M	M
			Me	re	sa	pa	non	kee	ra	nee	ka	b	aa	e	gee	too

S — S S M M M G P P P G M R R R
— — aa e ru t ma s ta nee ka b aa e gee too
— — S S M M M G P P D M P D D D
— — bee tee jae e jin da ga nee ka b aa e gee too

PART-II

... ... Ṡ P P ... ... N ... P D P M ... ...
... ... cha lee aa ... ... too ... ... cha lee aa ... ...
S ... R M R S S P S ... R M R S S ...
Phoo ... I see khi i ke ... pa ... s aa di i ke ...
P ... ... M S S P ... D N D P M — M —
Doo ... r se mi i ke ... chai ... n na aa — e ...
Phool ... ... chen na (as before) M M M P
aa e au r
P N N N P ... M G ... P D P M M ... ...
ka b tak mu jhe ... ta r ... paa ... e gee too Mere Sapnu kee

फिल्म : **हिम्मत (HIMMAT)**
संगीतकार : लक्ष्मीकांत प्यारे लाल

गायक : आशा और रफी
गीतकार : आनन्द बख्शी

मान जाइए मान जाइए

मान जाइए, मान जाइए, बात मेरे दिल की जान जाइए,
शर्म से झुकी आंख भी, रुकी साँस भी क्या है मरजी पहचान जाइए,

मान जाइए, मान जाइए, बात मेरे दिल की जान जाइए,
दिलों की मुलाकात का, जवां रात का क्या है मतलब पहचान जाइए,

प्यार में ये दिन रात बड़े रंगीन होने वाले हैं,
एक थे हम, फिर दो हुए अब तीन होने वाले हैं,

न गिनिए आगे बस बलम, हमारी कसम, आप हैं बड़े ही अनजान जाइए,
इन बातों से एक हसीना रूठ जाएगी, देखो,

चुप हो जाएगी, नींद हमारी टूट जाएगी, देखो,
यहां नींद का काम क्या, लिया नाम क्या, आप हैं बड़े ही नादान जाइए।

MAN JAIYE MAN JAIYE

Man jaiye, Man jaiye, bat mere dil kee jan jaiye,
Sharam se jhukee ankh bhee, rukee sansbhee kiya hae marjee pahchan jaiye,

Man jaiye, Man jaiye, bat mere dil kee jan jaiye,
Dilon kee mulakat ka, jawan rat ka, kya hae matlab pahchan jaiye,

Piyar men ye din rat, bare rangeen hone wale hain,
Ek thy ham, phir do hue, ab teen hone wale hain,

Na gine age bas balam, hamari kasam, ap hain bare hi anjan jaiye,
In baton se ek haseena, rooth jaegi, dekho,

Chup ho jaegi neend hamari toot jaegi, dekho,
Yahan neend ka kam kiya, liya nam kiya, ap hen bare he nadan jaiye.

Tal Kehrwa $\frac{4}{4}$

PART-I

S S R —G S S D — R G G R S S S —
Man jai e - - Man jai e — bat mere dil Kee jan jae e —

— G G M P DP — P P DP — P P D P M
— Sh ram se jhuki - an - kh thee rukee - sans thee kya hai marge pah

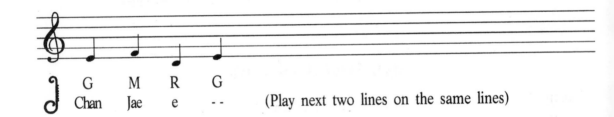

G M R G
Chan Jae e - - (Play next two lines on the same lines)

PART-II

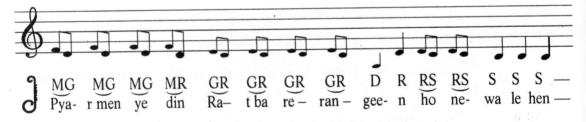

MG MG MG MR GR GR GR GR D R RS RS S S S —
Pya- r men ye din Ra– t ba re – ran – gee- n ho ne- wa le hen —

The next line will be played on the same lines

फिल्म : **दो रास्ते (DO RASTE)**
संगीतकार : लक्ष्मीकांत प्यारे लाल

गायिका : लता
गीतकार : आनन्द बख्शी

बिंदिया चमकेगी

बिंदिया चमकेगी, चूड़ी खनकेगी तेरी नींद उड़े ते उड़ जाए।
कजरा बहकेगा, गजरा महकेगा, माही रूस जाए ते रूस जाए॥

बोले कंगना, किसी का ओ सजना, जवानी पे जोर नहीं।
लाख मना कर ले दुनिया, कहते हैं मेरे घुंघरू-

पायल बाजेगी, गोरी नाचेगी छत टुट दी एते टुट जाए॥
मैंने तुमसे मुहब्बत की है गुलामी नहीं की बलमा।

दिल किसी का टूटे, चाहे कोई मुझसे रूठे।
मैं तो खेलूंगी, मैं तो छेडूंगी, यारी टुट दीए ते टुट जाए॥

मेरे आंगन बारात लेके साजन तू जिस रात आएगा।
मैं ना बैठूंगी डोली में, कह दूंगी बाबुल से।
मैं ना जाऊंगी में ना जाऊंगी, गड्डी टुर दीए ते टुर जाए॥

BINDIYA CHAMKEGI

Bindiya chamakegi, churi khanakegi, teri neend ure te ur jae,
Kajara bahkega, gajara mahkega, mahi rus jae te rus jae,

Bole kangana, kisee ka o sajana, jawani pae jor nahin,
Lakh mana kar le duniyan, kahte hai mere ghungharu,

Payal bajegi, gori nachegi, chhat tut dee aete tut jae,
Mene tujhse muhabbat kee hai, gulami nahee kee balma,

Dil kisee ka toote, chahe koi mujhse roothe,
Men to khelungi, men to chherungi, yari tut di ae te tut jai,

Mere angan barat leke sajan, too jis rat aega.

Mena baithoongi doli men, kah doongi babul se-
Mena jaungi, mena jaungi, gaddi tur de ae te tur jae.

Tal Kehrwa

PART-I

... ... R G S R R G ... ... R G S R R ...
... ... Bindi ya Cham ke gee ... ... choo ri khan ke gi ...

... ... P P ... D P M G R M ... G G G ...
... ... Te ri ... neen d u re te ... ... ur ja ...

PART-II

... ... R G S S ... S R G G G S S ... S
... ... Bo le Kang na ... ki Si ... ka o Saj na ... j

R M G G P R G R S ... ... P P P P
Wa ... ni Pe ... zo -r -n hee ... ... la khm na kar

M M M PM G G G M G R S S S R R G
le Duniya Kah te hen me re Ghugh roo pa yal ba je gi

... ... R G S R R ... ...
... ... Go ri Na che gi ... ...

Play rest of the second part in the same manner.

फिल्मः विश्वास

चांदी की दीवार ....

चांदी की दीवार न तोड़ी, प्यार भरा दिल तोड़ दिया,
इक धनवान की बेटी ने, निर्धन का दामन छोड़ दिया।

कल तक जिसने कसमें खाईं, दुख में साथ निभाने की,
आज वो अपने सुख की खातिर, हो गई एक बेगाने की।

शहनाइयों की गूँज में दबके, रह गई आह दीवाने की,
धनवानों ने दीवानों का, गम से रिश्ता तोड़ दिया।

वो क्या समझें प्यार को, जिनका सब कुछ चाँदी सोना है,
धनवानों की इस दुनिया में, दिल तो एक खिलौना है।

सदियों से दिल टूटता आया, दिल का बस ये रोना है,
जब तक चाहा दिल से खेला, और जब चाहा तोड़ दिया।

Film: **VISHWAS**

CHANDI KI DIWAR....

Chandi kee deewar na tori, piyar bhara dil tor diya,
Ik dhanwan kee beti ne, nirdhan ka daman chhor diya,

Kal tak jisne kasmen khain, dukh men sath nibhane kee,
Aaj wo apane sukh kee khatir, hogai ek begane kee,

Shahnaiyon kee gunj men dabke, rahgai ah deewane kee,
Dhanwanon ne deewanon ka, gam se rishta tor diya,

Wo kiya samajhen piyar ko, jinka sab kuchh chandi sona hai,
Dhanwano ki is duniyan men, dil to ek khilona hai,

Sadiyon se dil toottata aya, dil ka bas ye rona hai,
Jab tak chaha dil se khela, aur jab chaha tor diya.

Part-I

4/4
— S G G G R R S S — — S S — S —
Chan — dee kee — dee — wa — -r na to — ree
— S N S D — N R G S — S S — — —
— piya -r bha ra — dil — to — r dil ya — — —
M M M M M — M G M P P — P — P P
I K dha n wa — n kee be — tee — ne — ni r
D M M — P — M P M G G G R — S N
Dhan — ka — da — man — chho — r di ya — — —

Part-II

P N P M G G G S G G G — G — G —
Ka l ta k ji s ne — ka s men — kha — in —
— R R G M G RS N RG S S — S — — —
— du kha men Sa — tha ni bha — ne — kee — — —

Note: Aj wo apane .... play on the above tune.

फिल्मः आँखें

मिलती है जिन्दगी में

मिलती है जिन्दगी में मुहब्बत कभी-कभी,
होती है दिलबरों की इनायत कभी कभी,

शरमा के मुंह न फेर, नज़र के सवाल पर,
लाती है ऐसे मोड़ किस्मत कभी-कभी,

तनहा न कट सकेंगे, जवानी के रास्ते,
पेश आएगी, किसी को जरूरत कभी-कभी,

फिर खो न जाएं हम कहीं दुनियां की भीड़ में,
मिलती है पास आने की मोहलत कभी-कभी।

Film: **ANKHE**

MILTEE HAI ZINDAGI.....

Miltee hai zindagi men mohabbat kabhee-kabhee,
Hoti hai dilwaron ki inayat kabhee-kabhee,

Sharma ke munh na pher, nazar ke sawal par,
Lati hai ese mor par, kismat kabhee-kabhee,

Tanha na kat sakenge, jawanee ke raste,
Pesh aegee, kisee, kee jaroorat kabhee-kabhee,

Phir kho na jaen ham kahin, duniyan ki bhir men,
Miltee hai pas ane kee mohalat kabhee-kabhee.

Part-I

P G G R R R S S S — S N D D P —
Mil — ti — hai jin — da gi — men — — mu ha —

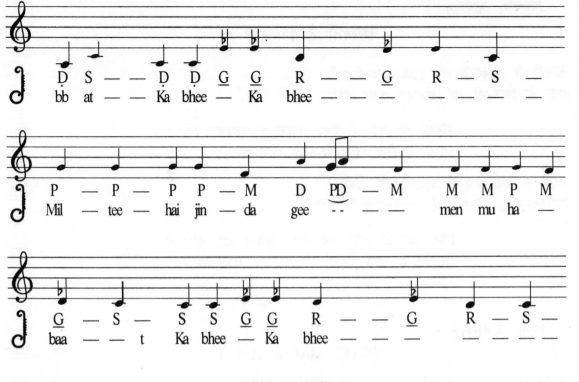

Part-II

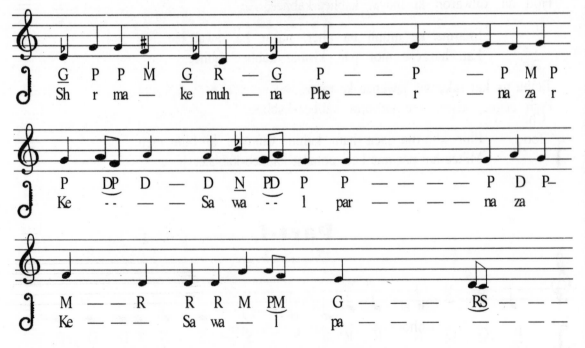

(Note: Play the next lines as per tune of first part)

फिल्मः दो रास्ते

छुप गये सारे नजारे .

छुप गए सारे नजारे, ओए क्या बात हो गई,
तूने काजल लगाया, दिन में रात हो गई,

मिल गए नैना से नैना, ओए क्या बात हो गई,
दिल ने दिल को पुकारा, मुलाकात हो गई।

कल नहीं आना, मुझे न बुलना, कि मारेगा ताना जमाना-
तेरे होठें पे रात यह बहाना था,
गोरी तुझको तो आज नहीं आना था।

तू चली आई, दुहाई, ओए क्या बात हो गई,
मैंने छोड़ा जमाना, तेरे साथ हो गई।

अंबुआ की डाली पे गाये मतवाली, कोयलिया काली निराली-
सावन आने का कुछ मतलब होगा,
बादल छाने का कोई सबब होगा।

रिम झिम छाएं घटाएं, ओए क्या बात हो गई,
तेरी चुनरी लहराई, बरसात हो गई।

Film: **DO RASTE**

CHHUP GAE SARE NAZARE....

Chhup gae sare nazare, oe kya baat ho gai,
Toone kajal lagaya, din men raat ho gai,

Mil gae naina se nains, Oe Kya baat ho gai,

Dil ne dil ko pukara, mulakat ho gai,

Kal nahi ana, mujhe na bulana, ki marega tana jamana-
There hothon pe raat yah bahana tha,
Gori tujh ko to oaj nahin ana tha,

Too chali ai, duhai, Oe Kiya bat ho gai,
Mene Chhora jamana, Tere sath ho gai,

Ambua Kee dali pe gae matwali, Koyaliya Kali, nirali,

Savan ane ka Kuchh matlab hoga,
Badal Chhane ka Koi Sabab hoga,

Rim jhim Chhaen ghataen, Oe Kya bat ho gai,
Teri Chunri Lahrai, barsat ho gai,

Chhup gae sare nazare...

PART-I

G GM PD D DS ND DP P M — P P P — G G
Chhup gae sare na ja- re- oe kiya ba -t ho ga e — too ne

M P — R R G G G M P P M G — — —
Ka jal — l ga ya din men ra -t ho ga e — — —

PART-II

GR RG GM -P MP MG G -M GR RG GM -P M G MDD
Kal nahi ana -mu jhe- nabu lana -ki ma- rega tana -j ma na te re

D N — D p — P — M — P M G —
Ho thom — pe ra -t ye -ba ha — -na tha —

फिल्म : **त्रिदेव (TRIDEV)**   गायक : अमित कुमार, सपना
संगीतकार : कल्याण जी आनंद जी   गीतकार : आनन्द बख्शी

तिरछी टोपी वाले

ओये ओये ओये ओ आ 2,
तिरछी टोपी वाले ओ बाबू भोले भाले,
तू याद आने लगा है, दिल मेरा जाने लगा है,

तिरछी नैनों वाली ओ बीबी भोली
तू याद आने लगी है, जां मेरी जाने लगी है।

अंतरा– अँखियाँ मिला, मुझे दिल में बसा, पलकों पे बिठा,
इस बात का साफ मतलब बता, तेरी मरजी है क्या
मेरा चैन चुरा ले जुल्मी मेरी नींद उड़ा ले–2

(2)   झूठ सही तेरा वादा मगर मुझे सच्चा लगा
ये तो बता तुझे मुझमें भला क्या अच्छा लगा
है गौरा मुखड़ा तेरा आँखें काली-काली तिरछे नैनों वाली

TRICHI TOP WALE

Oye - Oye - Oye - O - Aa - 2
Tirchi topi wale O Babu bhole bhale
Tu yaad ane laga hai dil mera jane laga hai

Tirchi naino wali, O bibi bholi bhali,
Tu yaad ane lagi hai, Jaan meri Jane lagi hai,

1)   Ankhiya mila muche dil main basa, palkon pe bitha,
Is baat ka saaf matlab bata, teri margi hai kya,
Mera chain chura le julmi meri neend uda le Tirchi topi wale.

2)   Jhoota sahai tera wada magar muche sacha laga,
Ye to bata tujhe mujh main bhala kya achaa laga,
Hai gora gora mukhra tera ankhe kali kali,
Tirche naino wali.

Film: **TRIDEV** Tal: **KHERWA**

TIRCHI TOPI WALE

OS	(N- -S	-S	—	-S	N- -S	-P	-N	—)
O	(O	E	—	O	EO	O	Aa	-)
	SS	SS	SR-R	—	OP	NS	PG	S
	Tichi	topi	wale	—	O	Awaa	OO	OO
	SS	SS	SR-S	—	OP	NS	PG	S
	Babu	Bhole	Bhale	—.	O	OO	OO	aa
	S- -R	-G	M- -P	-M	G- -R	—	—	—
	To ya	-d	Aane	-L	ga - hae			
	R- -G	-R	S- -R	-N	S	S	O	O
	Dil me-	-ra	ja - Ne	-La.	ga	hai		

ANTRA

G- -M	-P	D	ND	P- -M	-G	P	MG
Ankhiya-	Mi	La	mujhe	dil main	-b	sa	pal
M- -G	-R	S	—	G- -M	-P	D	ND
Ko pe	-bi	tha	—	is ba	-at	ka	saaf
P- -M	-G	P	MG	M- -G	-R	S	—
Matlab	-b	ta	teri	marji	-hai	kya	—
PP	MG	MM	GR	GM	GR	SR	—
Mera	Chain	Udaki	Jlmi	meri	neend	Churale	
PP	MG	MM	GR	GM	GR	SS	RR
Mera Chain		Udaki	Julmi	Meri	neend	Churati	Tirchi
RM-G	-R	S	—				
Topi	-Wa	Le	—				

फिल्मः डर

जादू तेरी नज़र

जादू तेरी नज़र खुशबु तेरा बदन
तू हाँ कर या ना कर, तू है मेरी किरन

मेरे ख्वाबों की तस्वीर है तू बेखबर मेरी तकदीर है तू
तू किसी और की हो ना जाना
कुछ भी कर जाऊँगा मैं दिवाना

फासलें और कम हो रहे हैं, दूर से पास हम हो रहे हैं,
मांग लूंगा तुझे आसमां मे, छीन लूंगा तुझे इस जहाँ से
तू हाँ कर या ना कर तू है मेरी किरन

Film: **DAAR**

JADOO TERI NAZAR

Jadoo teri nazar khoosboo tera badan,
Tu han kar ya na kar, tu hai meri kiran,

Mere khawboon ki tasvir hai tu,
Bekhabar meri taqdeer hai tu,
Tu kisi aur ki ho na jana,
Kuch bhi kar jaunga main diwana,

Fansle aur kam ho rahe hain,
Door se paas ham ho rahe hain
maang lunga tujhe is jahan se,
Tu haa kar ya na kar,
Tu hai meri kiran.

JADU TERI NAZAR

OS	P	—	- - MP	- M-G	R	—	—	-N
Ja	do	—	- te	ri na	zar	—	—	- khus
	M	—	- -GM	-G -R	S	—	—	-S
	boo	—	- te	ra .- ba	dan	—	—	-ja
	P	—	- -N	-P-G	R	—	—	-N
	do	—	-te	ra ba	dan	—	—	tu
	M	—	- -GM	-G-R	S	- -GS	ND	-N
	boo	—	- -te	ra ba	dan	—	—	tu
	G- -R	—	O	- -PN	R- -S	—	—	- -PN
	ha kar	—	—	—ya	Na -kar	—	—	- tu
	N G-R	-N	R- -S	-S-S	D	ODND	P	-S-S
	ha kar	-ya	na-kar	tu hai	me	ri kir	an	tu hai
	D	OD N D	P	—				
	me	ri kir	an	—				

Second Part

OG-M	G	N-Ṡ	N	Ṡ-N	D- -S	O	O	OS-S
-Me-re	Khawa	bo ki	tas	vir ·	hai- -tu	—	—	be kh
	G	N-Ṡ	N	Ṡ-N	D- -S	O	O	OS-S
	bar	mri	tak	dir	hai- -tu	—	—	mere
	G	ON-S	N	OS-N	D- -S	O	O	OS-S
	khawa	bo ki	tas	vir	hai- -tu	—	—	be-kha
	D	OD ND	P	OM-G	M- -G	O	O	OP-N
	bar	Me-ri	tak	deer	hai- -tu	—	—	Ma-ng
	D	OP-M	P	OM-G	M- -P	—	—	OP-DP
	ton	ga tu	jhe	a as	hai- -tu	—	—	cheen
	M	-MPM	G	OR-S	R- -S	OOGS	ND	OON
	Lun	ga tu	jhe	is	jhan se	—	—	tu

फिल्म : **साजन**   गायक : अलका याज्ञनिक, एस. पी. बाला
संगीतकार : नदीम, श्रवण   गीतकार : समीन

फिल्म: साजन

देखा है पहली बार

देखा है पहली बार, साजन की आँखों में प्यार।
अब जाके आया मेरे बैचेन दिल को करार॥
दिलबर तुझे मिलने को, कब से था मैं बेकरार।
अब जाके आया मेरे, बेचैन दिल को करार॥

पलके झुकाऊँ, तुझे दिल में बसाऊँ।
अब बिन तेरे मैं तो कहीं चैन न पाऊँ।
तू मेरा जिगर है, तू मेरी नजर है।
तू मेरी आरज़ू, तू मेरा हम सफर है॥

ये अदायें, ये मेरी जवानी।
बस तेरे लिए है, ये मेरी ज़िन्दगानी॥
तू मेरी गज़ल है, तू मेरा तराना।
आ तेरी धड़कनों पे, लिख दूं दिल का फसाना॥

Film: **SAAJAN**

DEKHA HAI PEHLI BAAR

Dekha hai pehli baar, sajan ki aankhoo mai pyar,
Ab jake aya mere, bechain dil ko karar.
Dilbar tujhe milne ko, kab se tha mai bekarar,
Ab jake aya mere, bechain dil ko karar.

Palke Jhukaoon, tujhe dil mai basanoo,
Ab bin tere mai to kanhi chain na panoo,
Tu mera zigar hai, tu meri nazar hai,
Tu mari arzu, tu mera ham safar hai.

Ye adayin, ye meri jawani,
Bas tere liye hai, ye meri zindgani,
Tu meri gazal hai, tu mera tarana,
Aa teri dharkano pe, likh don dil ka fasana.

Film: **SAAJAN**   Tal: **KEHRWA**

DEKHA HAI PEHLI BAAR

S—S	—SN	NN	SN	D	—	D—N	—R—
De – kha	hai	peh	li	ba	– ar	sa – jan	ki

R—R	—S	S	—	S—S	—SN	N—N	N
Aanho	— me	pya	r	Ab ja	ke	aya	me

D	—	D—N	—R—	R—R	—S—	S	—
re	—	beche	n	dil ko	ka	r	ar

S—R	—G—	M—D	—P—	M	—	—	GR -
dilvar	— tu	jhe mil	ne	ko	—	—	—

R—G	—M	M—D	—P—	P	—	—	—
Kab se	— tha	mai be	—k	ar	– ar	—	—

G—G	—GR	RSS	—N—	ND—	—	D—N	—R
Aab ja	ke	aya	— me	re	—	be – chai	n

R—R	—S	S	—				
Dil ko	— ka	ra	r				

Second Part

G — G	—G—	M	P	—	—	—	GM—
Palke	— jhu —	ka	aoo	—	—	—	tujhe

D—P	—MG	M	M	—	—	—	RR—
Dil me	— ba	sa	aon	—	—	—	ab

MGG	—R—	MG—	G	—	—	—	SS—
bin te	re	mai	to	—	—	—	kahi

R—R	—SN	S	S	o	o	ooN	—N—
Chain	— na	pa	oo	—	—	tu	— mai

S	—N—	R	S	—	—	ooS	—R—
ra	—zi	gar	—	—	—	tu	me

G—D	—P	M	—	MPM	RSN	—R—	—R—
ri aa	— r	jo	—	tu	mera	ham safar	hai

फिल्म : **दीवाना (DIWANA)**
संगीतकार : नदीम, श्रवण

गायक : अलका याज्ञनिक, विनोद राठौर
गीतकार : समीर

ऐसी दीवानगी

ऐसी दीवानगी देखी नहीं कहीं,
मैंने इसलिए जाने जाना दीवाना तेरा नाम रख दिया,
तेरा नाम रख दिया,

मेरा नसीब है जो मेरे यार ने हँस के प्यार से,
बेखुदी में दीवाना मेरा नाम रख दिया,
हाँ नाम रख दिया,

तूने पहली नज़र में सनम, मेरे दिल को चुराया,
हुई दुनियां से पराई, तुझे अपना बनाया,

बिना देखे तुझे अब ना आये करार,
हर घड़ी है मुझे अब तेरा इंतजार,

तेरी चाहत की चाँदनी मेरी आँखें में बस गई,
ये खुशबू तेरे जिस्म की मेरी सांसों में बस गई,

तू मेरी आरजू तू मेरी वफा,
जिन्दगी में कभी अब ना होंगे जुदा।

AAISI DIWANGI

Aaisi diwangi dekhi nahi kanhi,
Maine isliya jane jana diwana tera naam rakh diya,
Tera naam rakh diya,

Mera naseeb hai jo mere yaar ne,
Hans ke pyar se,
Bekhudi mai diwana mera naam rakh diya,
Ha naam rakh diya,

Tune pehali nazar mai sanam, mere dil ko chooraya,
Hui duniya se parayi, tujhe apna banaya,

Bina dekhe tujhe ab na aya karar,
Har ghari hai mujhe ab tera intzar,

Teri chahat ke chandani meri ankhoo mai bas gai,
Ye khusboo tere zism ki meri sanso mai bas gai,

Tu meri aarzo, tu meri vafa,
Zindgi mai kabhi ab na honge juda.

Film: **DIWANA** Tal: **KHERWA**

AAISI DIWANGI

PD	ṠṘ	—Ṡ	DP	—	—	—	—
Aaisi	diwa	— n	gi	—	—	—	—
PD	ṠR	—Ṡ	DP	—	—	—	—
Dekhi	nahi	— k	hai	—	—	—	—
P	ND	—	—	o	o	o	o
Mai	ne	—	—	o	o	o	o
R	DP	—	—	o	o	o	o
Is	liye						
oG	—R	SR	—	oM	ooGR	G	ṠṠ
Be	— khu	di mai	—	— di	— wa	na	tera
(NṠ	NṠ	—Ṙ	ṠṘ	G	—	—	PP
naa	— m	ra	kh di	ya	—	—	tera
R	—	—Ṡ	—N	Ṡ	—	—	ṠṠ)
naa	m	ra	kh di	ya	—	—	tera)

Second Part

ṡṡ	ṠP—Ṡ	—Ṡ	Ṡ——Ṙ	——ṠṘ	G	—	—	ĠṘ
tune	Pehli	— na	zar—mai	— sa	nam	—	—	mere
	ṘṠ	ṠN	—Ṙ	ṘṠ	Ṡ	—	—	ṠṠ
	Dil	ko	chu	ra	ya	—	—	hui
	ṠP—Ṡ	—Ṡ	—Ṡ	R	G	—	—	GR
	Duniya	— se	— pa	ra	aee	—	—	tujhe
	ṘS	ṠN	—Ṙ	Ṙ	Ṡ	—	—	PṠ
	Ap	na	— ba	na	ya	—	—	tume
	N	PN	D	MN	D	N—	—D	P	PṠ
	Re	aar	zoo	tu hai	me	re	va	fa	zind
	N	PN	D	MN	D	N—	—D	P	—
	gi	mai ka	bi	ab na	hon	ge	ju	da	—

फिल्म : **विश्वात्मा (VISHWATMA)**
संगीतकार : बिज्जुशाह

गायक : साधना सरगम, उदित नारायण, जौली मुखर्जी
गीतकार : आनंद बक्शी

सात समंदर पार

सात समंदर पार मैं तेरे पीछे-पीछे आ गई,
मैं तेरे पीछे-पीछे आ गई, जुल्मी मेरी जान,
तेरे कदमों के नीचे आ गई,

न रस्ता मालूम ना तेरा नाम पता मालूम,
कैसे मेरे प्यार ने तुझको ढूंढा क्या मालूम,
सीधी तेरे पास, सीधी तेरे पास ये अँखियाँ मीचे-मीचे आ गई,

मैंने अपने चौबारे से दी उसको आवाज,
नीचे गली में खड़ा रहा तू ऐसा था नाराज,
तू ऊपर ना आया तू ऊपर ना आया तो मैं,
खुद ही नीचे आ गई।

SAAT SAMANDAR PAAR

Saat samandar par mai tere piche-piche aa gai
mai tere piche-piche aa gai
Julmi meri jaan, tere kadmo ke neche aa gai

Na rasta maloom na tera naam pata maloom
Kaise mere pyar ne tujhko dhoondha kya maloom,
Sidhi tere pass, sidhi tere pass ye ankhiyan,
Miche-miche aa gai,

Maine apne chobare se dee tujhko awaj,
Niche gali mai khada raha tu aisa tha naraj,
Tu upar na aya, tu upar na aya too mai,
Khud he niche aa gai.

Film: **VISHWATMA**   Tal: **KHERWA**

SAAT SAMANDAR PAAR

G	—R	S	S	0	0	0	0
Saat	— t s	man	dar				
G	—R	S	S	RS	RS	N.	S
Saa	— t s	man	dar	pa	— r mai	te	re
P	N	S	M	oo RM	GR	SS	SR
Pe	che	pe	che	aa	—g	ai mai	tere
N.	N.	S	M	oo RM	GR	S	—
Pe	che	pe	che	aa	—g	ai	
S	SP	MP	GM	RG	—	—	—
Ju	Imi	mai	ri	jaan			
S	SP	P	DP	M—PM	GP	M	GD
O	jul	mi	meri	jaa—	n te	re	kad
P	M	G	RS	—R	—P	R—GR	SN.
mo	ke	ni	che	— aa	—g	ai	—

Second Part

S	RG	RR	SN.	S	S	S	RM
Mai	ne	ap	ne	cho	ba	re	se
RM	MP	M	MG	GM	—	—	—
Dee	tujh	ko	a	waj	—	—	—
M	MP	MG	—R	SN.	—R	R	RM
Nee	che	gali	— me	khada	— ra	ha	— tu
G	RS	R	RS	S	—	—	S
Aai	se	tha	na	ra	—j	—	tu
S	SP	MP	GM	RG	—	—	S
U	par	na	aa	ya	—	—	tu
S	SP	P	DP	M—PM	GM	M	GD
tu	u	par	aa	ya	to	mai	
P	M	G	RS	oR	—P	R—GR	SN.
Khud	he	ni	— che	— aa	—g	ai	—

फिल्म : **ये दिल्लगी**
संगीतकार : दिलीप सेन समीर सेन

गायक : अभिजीत - कोरस
गीतकार : समीर

फिल्मः ये दिल्लगी

ओले - ओले

जब भी कोई लड़की देखूँ, मेरा दिल दीवाना बोले, ओले-ओले
गाऊँ तराना यारा झूम-झूम के होले होले

मुझको लुभाती है जवानियाँ, मस्ती लुटाती जिन्दगानियाँ,
माने ना कहना पागल मस्त पवन सा दिल ये डोले ओले,

कोई माने या ना माने मैं हूँ आशिक अवारा,
मैं सौदाई दिवाना मुझको चाहत ने मारा

ये चिकने-चिकने चेहरे ये गोरी-गोरी बाहें,
बेचैन मुझे करती हैं, ये चंचल शोख अदायें,

मुझको मिली है ये बेचैनियाँ, लिखूँ ख्यालों में कहानियाँ,
देखूँ जहाँ कोई शमा, संग उसी के होले — ओले-आले,

मैं तो डूबा रहता हूँ यादों की रंगरलियों में,
मेरे सपनों का धर है महबूबा की गलियों में,

दीदार जो हो परियों का में बेकाबू हो जाऊँ,
रंगीन लगे ये दुनियाँ मैं ख्वाबों में खो जाऊँ,

मांगू हसीनों से निशानियाँ, बहके शबाबों की रवानियाँ,
हुस्न का जलवा मेरी इन आँखों का परदा खोले,
ओले-ओले

Film: **YE DILLAGGI**

OLE - OLE

Jab bhi koi ladki dekho mera dil diwana bole Ole Ole Ole
Gaoon tarana yaran jhum jhum ke hole hole - Ole

Mujhko lubhati hain jawaniyan, masti lutati jindganiyan,
Mane na khena pagal mast pawan sa dil ye bole-Ole Ole Ole,

Koi mane ya na mane, mai hoo ashique awara,
Main sodai diwana mijhko chahat ne mara,

Ye chikne chikne chere ye gori gori bahain,
Baichain mujhe karti hain, ye chanchal sokh adaiyain,

Mujhko mili hain ye bechaniyan
Likhoo khyaloon mai khaniya,

Dekho jaha koi shama, sang usi ke ole-ole
Main to dooba rehta hoon yadoon ki rangralioo main,
Mera sapnoo ka ghar hai mehabooba ki galiyon main,

Didar jo ho pariyon ka main be kaboo ho jaou,
Rangeen lage ya duniya mai khaboo main kho jaou,

Mango hasino se nishaniya,
Bahake sababoon ki Ravaniyan,

Husan ka jalwa meri ankhoo ka parda khole
Ole Ole Ole

Film: **YE DILLAGI** Tal: **KHERWA**

OLE OLE

OṠ	ṠṠ	ṠṘ	ĠṖ	ṠṘ	ṘṠ	ṠṠ	SN
Jab	bhi koi	ladki	dekhon	mera	dildi	wana	bole
ṠṘ	ṠṘ	OṠ	ṠN	ṠṘ	ṠṘ	- Ṡ	Ṡ
ole	ole	- O	le	Ole	Ole	- O	le
OṠ	ṠṠ	ṠṘ	ĠṖ	Ṡ - -Ṙ	- - -Ṡ	Ṡ Ṡ	ṠN
-ga	unt	rana	yara	jhum jhum	- - -ke	hole	hole
ṠṘ	ṠṘ	- Ṡ	ṠN	ṠṘ	ṘṘ	- Ṡ	Ṡ
ole	ole	- O	le	ole	ole	- O	le
OG	G G	GM	PM	G	G G	N	-
Mujh	kolu	bhati	hain J	wa	ni	yan	-
OG	G G	GM	PM	G	G G	N	-
masti	luta	te ji	na	ga	ni	ya	-
OD	DP	PM	MG	G-RR	RS	SR	SN
Mane	nekhe	Na pa	gal	Mast-p	wan sa	dil ye	dole
SR	SR	- S	SN	SR	SR	- S	S
ole	ole	- O	le	ole	ole	- O	le

Antra

OS	(SS	SS	SS	OS	SS	SS	SS	OR	
Koi x	Mane	ya na	Mane	-main	hon Aa	shiq a	wara	omain	
	RR	RR	RR	- R	GM	GR	SS	OS)	
	soda	ae di	wana	- mujh	ko cha	hat na	mara	- ye	
	SS	SS	SS	OS	SS	SS	SS	OR	
	Chikne	Chikne	Chere	- ye	gori	gori	Bahain	- be	
	RR	RR	RR	- R	GM	GR	SS	G	To
	Chain mu	jhe kar	ti hain	- je	Chanchal	sokh A	diayan	ho	x

फिल्म : **बाजीगर**
संगीतकार : अन्नु मल्लिक

गायक : कुमार शानू, अलका याज्ञनिक
गीतकार : नवाब आरजू

फिल्मः बाजीगर

बाजीगर ओ बाजीगर

ओ मेरा दिल था अकेला तूने खेल ऐसा खेला,
तेरी याद में जागूँ रात भर
बाजीगर ओ बाजीगर
तू है बड़ा जादूगर

ओ दिल देकर दिल लिया है, सौदा प्यार का किया है,
दिल की बाजी जीता दिल हार कर,
बाजीगर ओ बाजीगर,

चुपके से आँखों के रस्ते तू मेरे दिल में समाया,
चाहत का जादू जगा के मुझको दीवाना बनाया,
पहली नजर मैं बनी है तू मेरी सपनों की रानी,
याद रखेगी ये दुनिया अपनी वफा की कहानी,
ओ मेरा चैन चुराके मेरी नींद उड़ा के खो न जाना किसी मोड़ पर,
बाजीगर ओ बाजीगर,

धक धक धड़कता है ये दिल, बोलो तो क्या कह रहा है,
पास आओ बता दूँ ना बाबा डर लग रहा है,
मुझको गलत ना समझना, मैं नहीं बादल आवारा,
दिल की दिवारों मे मैंने नाम लिखा है तुम्हारा,
है तेरे प्यार पे कुर्बान मेरा दिल मेरी जान,
तुझे लग जाये मेरी उम्र,
बाजीगर ओ बाजीगर।

Film: **BAAZIGAR**

BAAZIGAR O BAAZIGAR

O mere dil tha akela tune khel aisa khela,
Teri yaad main jagoon raat bhar,
Baazigar O baazigar,
Tu hai bada jadugar

O dil dekar dil leya hain, sauda pyar ka kiya hai,
Dil ki baazi jita dil har kar,
Baazigar O baazigar

Chupke se ankho ke raste tu mere dil main samaya,
Paheli nazar main bani hai tu mere sapno ki rani,
Yaad rakhegi ye duniyan apni wafa ki kahani,
O mere chain chura ke, meri need uda ke,
Kho na jana kisi mod par.

Dhak dhak dharakta hai ye dil,
Bolo to kya keh raha hai
Pas aao bata doon, na baba dar lag raha hai,
Majhko glat na samajhna,
Main nahi badal awara,
Dil ki diwaro pe maine naam likha hai tumhara,
Hai tere pyar pe quarbaan, mera dil meri jaan,
Tujhe lag jaye meri umar,
Baazigar O baazigar.

Film: **BAAZIGAR**

BAAZIGAR O BAAZIGAR

P	—	—	PP	MD	PM	GP	MG
O	-	-	mere	dil	thu A	kela	tune
R- -M	GR	SG	RS	NR	SN	DD	N- -D
khe-1	eisa	khela	Teri	Yaa	d mai	jago	raat
P	—	—	O	OP	NR	M	GR
bhar	-	-	-	(baa	zigar	o	baazi
				Tu	hai ba	da	jadu
GRS							
gar			)				
gar							
OP	PM	G- -R	- - -S	R	R	—	—
-Chup	ke se	aakho	- ke	ras	te	-	-
OP	NR	M- -G	- - -R	GMPM G	G	—	—
- tu	mere	Dil-mai	- - s	ma	ya	-	-
OG	GR	S- -N	- -D	D	D	—	—
ul	fat ka	jan-du	- -j	ga	ke		
OD	NS	R- -N	- -D	P	P	—	—
Mujh	ko di	wa-na	- -b	na	ya	-	-
OP	PP	P- -D	- -P	N	N	- -SN	DPM-
pheli	nazar	mai bani	hai	tu	maire	sapnoki	raani
OM	MM	RM-R	ND	P	P	—	O
-ya	ad	rakhe gi	yedu	ni	ya	-	-
OP	PP	P- -D	- - -S	NS-N	—	- -SN	DPM-
-ap	ni	wafa ki	- -k	ha-ni	-	-	-

फिल्म : **1942 ए लव स्टोरी**
संगीतकार : आर. डी. बर्मन

गायक : कुमार शानू
गीतकार : जावेद अख्तर

फिल्मः 1942 ए लव स्टोरी

एक लड़की को देखा तो ऐसा लगा

एक लड़की को देखा तो ऐसा लगा,
जैसे खिलता गुलाब, जैसे शायर का ख्वाब,

जैसे उजली किरन, जैसे बन में हिरन,
जैसे चाँदनी रात, जैसे नरमी की बात,
जैसे मंदिर में हो एक जलता दिया-ओ,

एक लड़की को देखा तो ऐसा लगा,
जैसे सुबहों का रूप, जैसे सर्दी की धूप,
जैसे बीना की तान, जैसे रंगों की जान,
जैसे सोलह सिंगार, जैसे रस की फुहार,
जैसे खुशबू लिए आये ठंडी हवा-ओ,

एक लड़की को देखा तो ऐसा लगा,
जैसे नाचता मोर, जैसे रेशम की डोर,
जैसे परियों का राग, जैसे संदल की आग,
जैसे बलखाये बेल, जैसे लहरों का खेल,
जैसे अहिस्ता-अहिस्ता बढ़ता नशा-ओ।

Film: **1942 A LOVE STORY**

EK LADKI KO DEKHA

Ek Ladki Ko dekha to aisa laga,
Jaise khilta gulab, jaise shayer ka khawab,

Jaise ujli kiran, Jaise Ban main Hiran,
Jaise chandani raat, Jaise narmi ki baat,
Jaise mandir main ho ek jalta Diya - O,

Ek ladki ko dekha to aisa laga,
Jaise Subha ka roop, Jaise sardi ki dhoop,

Jaise Bina ki taan, Jaise rangoo ki jaan,
Jaise soloha singar, jaise ras ki poohar,
Jaise khoosbo liya aye thandi hava - O

Ek ladki ko dekha to eisa laga,
Jaise nachta moor, jaise resham ki door,
Jaise paryoon ka raag, Jaise sandal ki aag,
Jaise bal khaye Bel, Jaise lahroon ka khal,
Jaise ahista ahista bhadta nasha - O

Film: **1942 A LOVE STORY** Tal: **KHERWA**

EK LADKI KO DEKHA

Ṡ	—	—	ṠṠ	N-Ṡ	-Ṙ	N-Ṡ	-Ṙ	
O	—	—	EK	L ad	Ki	Ko De	Kha	
N- -S	ṘS	Ṡ	—	O	O	O	ṠṠ	
To E	S L	Ga	—				EK	
N- -S	-Ṙ	N- -	-Ṙ	N- -Ṡ	ṘS	Ṡ	ṠṠ	
L a d	Ki	ko De	Kha	To	Esa	L	ga	
(-N	-DPN	D	NṠ	-N	-DPN	D	DD)	2
Jaise	Khilta	Gu lab	Jaise	Ban	Me hir	an	Jaise	
(-M	-D-P	P	DD	-M	-D-P	P	PP)	2
Ujli	li kir	an	jaise	Ban	Me Hir	an	jaise	
- -PN	-Ṡ-Ġ	Ṙ	ṘṘ	- -PN	Ṡ- -Ġ	Ṙ	—	
Man	dir	Me	Ho	EK	Jalta	Diya	—	
Ṡ	—	—	ṠṠ	N- -S	-R	N- -Ṡ	-Ṙ	
O			EK	Lad	Ki	Ko de	Kha	
N-SR	Ġ-ṘṠN	Ṡ	—					
to Ey	sa la	ga	—					